Illustration de la couverture : Colette Camil
Maquette et conception graphique : Équipage

Les contes réunis dans cet ouvrage ont été publiés dans le journal *Pomme d'Api*
Pomme d'Api paraît tous les mois
Pomme d'Api : 3-5, rue Bayard, 75008 Paris

© Bayard Presse / *Pomme d'Api*
© 1992 Bayard Éditions pour la présente édition
ISBN : 2.227.70228.1
Loi 49956 du 16 juillet 1949 sur les publications destinées à la jeunesse

Composition : Équipage
Imprimé par : Aubin Imprimeur Ligugé, Poitiers
N° éditeur : 2160
Dépôt légal : octobre 1995
6ème édition
Imprimé en France

CONTES DE NOËL ET DE NEIGE

Les meilleurs contes de Pomme d'Api

BAYARD ÉDITIONS • POMME D'API

AU SECOURS DU PÈRE NOËL

Écrit par Catherine de Lasa et illustré par Colette Camil

La nuit est noire comme un chat noir.
Le Père Noël, sur son traîneau, distribue des millions de cadeaux.
Mais voilà que le traîneau ralentit. Le Père Noël s'inquiète :
– Qu'est-ce qui ne va pas, les rennes ?
Renne Blanc se retourne et il répond :
– C'est Petit Renne qui ne va pas.
Il pleure parce qu'il est fatigué.
Le Père Noël ordonne :
– Descendez tout de suite.
Les rennes obéissent et le traîneau se pose au pôle Nord,
juste à côté d'un igloo.
Un enfant esquimau en sort. Il s'appelle Asiak.

Le Père Noël lui demande :
– Veux-tu garder Petit Renne jusqu'à mon retour ?
Asiak est d'accord. Il détache Petit Renne et il propose :
– Prenez mon chien de traîneau pour remplacer Petit Renne.
Le Père Noël n'a pas le temps de dire oui ou non,
Asiak a déjà attelé son chien
et le traîneau s'est envolé dans le ciel.
Bientôt, il arrive au-dessus d'une ville.
Le Père Noël saute sur les toits, il descend dans les cheminées,
il remonte, encore et encore.
Ça y est ! Tout est distribué dans cette ville. Le traîneau repart.
Mais voilà qu'il ralentit encore. Le Père Noël demande :
– Qu'est-ce qui se passe, les rennes ?
Renne Bleu se retourne. Il répond :
– C'est moi. J'ai attrapé un rhume au pôle Nord,
j'ai affreusement mal aux oreilles.
Le Père Noël n'hésite pas :
– Il faut te mettre au chaud ! Allez ! on descend !
Justement, on survole un désert.
Le Père Noël couvre Renne Bleu avec une couverture.
Il lui donne un sirop et il lui dit :
– Repose-toi bien et attends-nous.
Il remonte dans son traîneau quand Renne Blanc arrive et dit :
– J'ai discuté avec un chameau
et je te présente son maître, Brahim.

Brahim dit : – Père Noël,
je vous prête mon chameau pour remplacer Renne Bleu.
Brahim attelle son chameau et le traîneau s'envole.
Mais biiinng ! il se cogne dans une cheminée !
Renne Brun hurle : – Ouille, je me suis tordu la patte !
Les rennes décident :
– On descend ! On va te faire un bandage.
Le Père Noël grogne :
– Oh, quelle nuit ! On est de plus en plus en retard !
Le traîneau se pose dans une savane
et les rennes bandent la patte de Renne Brun.
Au moment de repartir, Renne Roux dit :
– J'ai rencontré un zébu, et voici son maître, Kossi.
Kossi propose : – Père Noël,
voulez-vous mon zébu pour remplacer Renne Brun ?
Le Père Noël soupire : – Merci, merci beaucoup.
Je n'ai jamais vu une nuit de Noël pareille !
Et il remonte dans le traîneau qui s'élance dans le ciel.
Maintenant, le traîneau file à toute vitesse,
de ville en village, d'immeuble en maison.
Ouf ! tous les jouets sont distribués.
Alors, le Père Noël raccompagne le zébu de Kossi,
et il reprend Renne Brun,
puis le chameau de Brahim et il récupère Renne Bleu,
et puis le chien d'Asiak, et il retrouve Petit Renne.
Enfin tout le monde va se coucher.
En s'endormant, le Père Noël se dit :
« Les enfants endormis, c'est joli,
mais les enfants réveillés, qu'est-ce que ça peut être gentil ! »

DRÔLE DE SAPIN

Écrit par Serge Kozlov et illustré par David Mc Phail

La neige tombait depuis des jours sur la forêt
et ni Hérisson, ni Anon, ni Ourson ne pouvaient
mettre le nez dehors.
Heureusement, le soir de Noël la tempête se calme
et les trois amis se réunissent dans la maison de Hérisson.
Ourson s'écrie : – Nous n'avons pas de sapin !
Anon dit : – Il faut aller en chercher un.
Hérisson soupire : – Il fait trop noir maintenant,
et avec toute cette neige !
Ourson décide : – De toute façon il nous faut un sapin.
Et les trois amis sortent de la maison.
La nuit est très noire et le ciel est si rempli de nuages
qu'on ne voit pas une seule étoile.
Anon dit : – La lune n'est pas là, on ne voit même pas les sapins.
Ourson dit : – Essayons à tâtons.

Mais les grands sapins sont trop grands
pour entrer dans la maison
et les petits sapins sont enfouis sous la neige jusqu'à la pointe.
Anon, Ourson et Hérisson rentrent dans la maison
en faisant triste mine.
Ourson soupire : – Quel Noël !
Anon ajoute : – On ne peut pas se passer de sapin à Noël !
Hérisson prépare le thé. Il apporte un pot de miel pour Ourson
et une assiette de chardons pour Anon.
Hérisson ne pense plus au sapin. Il a un autre souci.
Il pense à sa pendule qui est cassée
et que Pic-Vert l'horloger ne lui a pas encore réparée.
Il demande : – Comment saurons-nous qu'il est minuit ?
Anon répond : – Nous le sentirons !
Ourson s'étonne : – Comment ?
Anon explique : – C'est très simple.
À minuit, cela fera exactement trois heures
que nous aurons envie de dormir.
Hérisson s'écrie : – C'est vrai !
Puis il réfléchit et il ajoute :
– J'ai une idée pour le sapin !
On va mettre ce tabouret ici,
je vais grimper dessus
et vous accrocherez les jouets,
les boules et les guirlandes sur mes piquants !
Et c'est ce qu'ils font.
Puis, Ourson et Anon s'assoient
pour boire leur thé.
Ourson demande :
– Tu n'es pas trop fatigué, sapin ?
Anon s'endort à moitié.
Hérisson dit : – Quelle heure est-il ?
Ourson répond : – Minuit moins cinq.
Dès qu'Anon sera endormi,
il sera exactement minuit.

Soudain Anon bâille un grand coup et il crie :
– Minuit ! Il faut sonner l'heure.
Alors, Hérisson attrape délicatement une tasse à thé
et il tape dessus douze coups avec une petite cuillère.
Ourson et Anon écoutent en retenant leur respiration.
Au douzième coup, les trois amis s'écrient :
– Joyeux Noël !
Et puis Anon s'endort tout à fait. Ourson s'endort à son tour.
Hérisson reste tout seul, debout sur son tabouret.
        Alors il se met à chanter tout bas tous les chants de Noël
           qu'il connaît.
           Il chante jusqu'au matin pour ne pas s'endormir et casser les jouets.

TROTTE-JOLIE, SOURIÇONNE ET DOUILLETTE

Écrit par Simone Schmitzberger et illustré par Max Velthuijs

Il fait froid, il va neiger. Le sol est dur et gelé.

Ça y est ! Voilà les premiers flocons qui recouvrent la terre
comme un duvet glacé.

Trotte-Jolie, la petite souris, a bien froid aux pattes
et elle ne trouve plus un seul trou où se faufiler.

Tout à coup, un tunnel s'ouvre devant elle.

Trotte-Jolie ne sait pas que c'est une vieille botte abandonnée.
Elle s'y enfonce. Oh, qu'il fait froid là-dedans !

Tiens, voilà une autre petite souris ! L'autre petite souris dit :
– Bonjour, je m'appelle Souriçonne,
et je ne trouve plus ma maison. Je peux m'installer avec toi ?

Trotte-Jolie est bien contente d'avoir de la compagnie.

Elle répond : – Entre vite !

À deux, on se tiendra plus chaud et on aura moins peur !

Blotties l'une contre l'autre, les deux petites souris regardent
la neige tomber par la botte ouverte.

La lune montre le bout de son nez, elle va s'enrhumer !

Tiens, une troisième petite souris passe la tête
par l'ouverture de la botte. Elle dit : – Je m'appelle Douillette.
La nuit est tombée par-dessus la neige
et tout le paysage est chamboulé ;
je ne sais plus où m'abriter. Est-ce que je peux rester ici ?

Trotte-Jolie et Souriçonne disent oui,
et elles se serrent un peu.
Maintenant, il y a trois petites souris dans la botte.
Au fond, c'est doux. Il y a encore un peu de fourrure.
La neige continue à tomber.
Bientôt, l'entrée de la botte est complètement bouchée !
Douillette gémit : – J'ai peur, il fait tout noir !
Je veux mon petit lit chaud ! Je veux ma douce maman !
Alors, pour la consoler, Souriçonne raconte l'histoire
de la petite souris qui était toujours de mauvais poil.
Douillette sourit. Puis Trotte-Jolie raconte l'histoire
de la grosse souris qui avait peur de tout. Douillette éclate de
rire ! Et elle se met à raconter à son tour :
un jour elle a fait rire un gros chat
en lui chatouillant les pattes sans le réveiller !
Les trois petites souris n'en finissent plus de rire !
Mais, dehors, dans la neige, à travers la nuit,
une maman souris cherche sa fille.
Elle grimpe sur une motte de neige pour voir au loin.
Et elle entend des éclats de rire là, juste sous ses pieds !
La maman souris appelle : – Douillette, tu es là ? Tu m'entends ?
Douillette reconnaît alors la voix de sa maman.
Elle creuse vite un trou dans la neige,
et elle passe son museau en disant :
– Oh maman, je t'en prie, laisse-moi ici pour cette nuit !
On s'amuse bien !
– Mais tu n'as pas peur ?
– Oh non, je ne suis pas toute seule !
– Mais tu n'as pas froid ?
– Oh non, à trois, on se réchauffe !
La maman souris dit : – Bon, d'accord.
Mais ne faites pas tant de bruit, ça résonne dans la nuit !
La maman souris referme l'abri avec de la neige
et elle s'en va en leur souhaitant bonne nuit.

LA PETITE MAISON DANS LA NEIGE

Écrit par Xavier Bied Charreton et illustré par Jean-François Kieffer

Dans un petit village de montagne,
les enfants sortent de l'école.
Près d'une bâtisse sombre, entourée de tout un tas de ferraille,
ils entendent des cris terribles :
– Sapristi de tonnerre-de-machin-tordu !
Et encore : – Sacré-bazar-de-truc-casse-marteau !
Manon dit : – Ça y est, ça recommence,
c'est encore le forgeron qui se met en colère !

Ninon ajoute : – Il me fait peur avec ses cheveux longs,
sa barbe noire et son grand tablier plein d'outils.
Pour jouer aux grands,
Simon et Louison s'approchent de la forge ;
mais les cris reprennent de plus belle :
– Saperlipopette-de-bidule-à-roulette !
Ce n'est-pas-bientôt-fini, ce-mic-mac-à-coulisses !
Louison et Simon rejoignent vite les filles, qui se moquent :
– Regardez ces fanfarons qui tremblent
devant Tonton Samson, notre célèbre forgeron !
Tonton Samson, le forgeron, est bien connu dans la région ;
il fabrique des portails et des grilles,
et c'est toujours du beau travail.
Le soir, il range ses outils et il s'en retourne
vers une vieille petite maison perdue dans la montagne.

Quand les enfants se promènent,
ils font bien attention de ne pas aller dans cette direction.
Ils ont trop peur d'entendre les terribles jurons du forgeron !
Voilà l'hiver. La neige commence à tomber.
Un matin, Simon casse la barre de sa luge ;
il pense que le forgeron pourrait la réparer,
mais Louison dit : – Oh non, les affaires d'enfants,
ça n'intéresse pas Tonton Samson !
Alors Simon répare la luge tout seul, avec de la ficelle.
Un jour, les enfants partent avec Gaby, le jeune instituteur,
pour une promenade en montagne.
Ils ont pris des grosses bottes, des anoraks et des sacs à dos.

Mais, tout à coup, le mauvais temps arrive ;
il faut redescendre au village.
Manon commence à pleurer à cause du vent,
et aussi Ninon, qui a froid aux pieds.
Peu à peu, la neige devient plus épaisse,
on ne voit plus aucune trace sur le chemin.
Gaby pense : « Si on pouvait trouver un abri ! »
Simon est inquiet, il dit à Louison : – Tu ne crois pas
qu'on se rapproche de la maison du forgeron ?
Bientôt, on n'entend plus rien, on ne voit plus rien,
tellement la neige enveloppe tout…

Le soir, les enfants ne sont pas revenus.
Quelle agitation au village !
Tous les parents décident d'organiser des recherches
et ils partent à skis
dans la montagne.
Ils cherchent longtemps.
Enfin, ils arrivent près d'une petite maison dans la neige.
– Mais c'est la maison du forgeron !
Si les enfants sont allés chez lui, c'est terrible !
Il est si brutal et si coléreux.

Alors la porte s'ouvre et Gaby sort en criant :
– Tout va bien, venez voir !
Quelle surprise !
Les enfants sont tous là, bien au chaud, bien au sec.
Ils sont habillés avec les grands chandails, les bonnets,
les écharpes et les chaussettes de Tonton Samson.
Simon et Manon jouent devant le feu,
sur la table il y a des bols avec du chocolat et des tartines.
Ninon dort sous un gros édredon ; quant à Louison,
il écoute l'histoire que lui raconte le forgeron.
Alors le papa de Louison s'exclame :
– Sapristi-de-bazar-de-mic-mac !
Mais Louison lui dit tout bas :
– Chut, Papa, Tonton Samson me raconte une histoire,
je voudrais bien savoir la fin !

LA PROMESSE DE JOBIC

Écrit par Bernadette Garreta et illustré par Henri Galeron

La maman de Jobic le secoue :
– Debout, j'ai besoin de toi, mon Jobic,
ta petite sœur est très malade.
Jobic se frotte les yeux, il grogne :
– Qu'est-ce qu'elle a, Marie ?
– Je ne sais pas, elle m'inquiète et je ne veux pas la quitter.
Tu vas aller au village, toi, et tu ramèneras la mère Louise.
Elle sait faire de bons remèdes.
Jobic demande :
– Et papa, alors ? Il ne peut pas y aller ?
La maman soupire :
– Ce soir, c'est Noël, ton père est parti en mer très tôt
pour rapporter sa pêche à temps.
Jobic se lève lentement. Sa maman lui explique bien
le chemin qu'il faudra prendre pour aller vite au village :
– Tu prends le chemin tout droit,
tu traverses le petit bois de sapins, la lande et la grève,
et tu arrives. Mais, surtout, Jobic, dépêche-toi, ne t'arrête pas partout,
comme toujours, pour ramasser ceci ou cela.
Jobic dit : – C'est promis.
Sa maman lui donne du pain et du fromage,
puis elle l'enveloppe dans une cape et elle ouvre la porte.
Il a plu toute la nuit, il fait noir, un vent froid souffle en tempête.
Jobic a un peu peur. Mais quand on a six ans,
un papa marin parti à la pêche et une petite sœur malade,
on n'hésite pas, on y va.

Le chemin est plein de flaques.

Jobic a parfois du mal à passer, ses sabots sont lourds de boue.

Sous les sapins, le sol est plus sec, Jobic marche un peu plus vite.

Le vent fait craquer les branches, il y a des brindilles partout.

Jobic pense : « Je pourrais faire un beau fagot. »

Mais il ne s'arrête pas, puisqu'il a promis.

Mais, par-ci, par-là, il ramasse une branchette en passant.

Dans la lande, il fait plus clair, c'est plein de bruyères roses.

Jobic ne s'arrête pas, puisqu'il a promis,

mais, par-ci, par-là, il cueille quelques brins de bruyère,

ça fera plaisir à sa maman. Voilà la grève et la mer toute proche.

Les vagues sont bien grosses et Jobic pense à son papa en bateau :

pourvu que ce soir, à son retour,

la petite sœur soit presque guérie !

Jobic se met à courir sur les galets lisses et ronds.

Il ne s'arrête pas, puisqu'il a promis, mais, par-ci, par-là,

il en prend un beau pour sa collection et il le glisse dans sa poche.

Jobic arrive au village bien fatigué

avec son bois, ses fleurs et ses galets.

Il frappe à la porte de la mère Louise. Une voix furieuse dit :

– Allez-vous-en ! J'ai trop de travail pour vous ouvrir.

Jobic crie : – Madame, s'il vous plaît, venez guérir ma petite sœur !

La porte s'ouvre à demi : – Qui est là ?

– C'est Jobic, de la maison du Roc.
Il faut venir vite avec des remèdes.
La mère Louise dit : – Regarde toi-même si je peux venir !
J'attends mes enfants pour fêter Noël,
je n'ai pas encore préparé la table, mon feu ne veut pas prendre,
et d'ailleurs j'ai cassé mon pilon,
celui qui me sert à écraser les herbes pour les remèdes.
Non, je n'ai pas le temps d'aller chez toi.
Alors, Jobic sort de dessous sa cape les branchettes de sapin,
la bruyère et les galets.
Il dit : – Tenez, prenez tout ça.
La mère Louise est toute surprise :
– Mais tu as tout ce qu'il me faut ! Le feu va prendre vite
avec ce petit bois. Mets la bruyère sur la table,
Jobic, pendant que j'écrase des herbes
entre ces deux beaux galets. Voilà, c'est fait.
Allons-y, ce remède va guérir ta petite sœur.
Alors Jobic et la mère Louise s'en vont
ensemble à la maison du Roc.

LE CARNET D'ADRESSES DU PÈRE NOËL

Écrit par Jean-Jacques Vacher et illustré par Claude Lapointe

Le Père Noël se brosse les dents. Il peigne sa barbe,
il enfile son manteau rouge, ses bottes, son bonnet.
Il monte sur son traîneau, il crie à ses rennes :
– Allez, au boulot !
Et le traîneau s'envole dans le ciel. C'est la nuit de Noël
et le Père Noël va distribuer ses cadeaux. Il se dit :
– Bon, par qui vais-je commencer ?
Il plonge la main dans une poche de son manteau.
Puis il fouille dans une autre poche. Il s'écrie :
– Sapristi, j'ai oublié mon carnet d'adresses !
Dans son carnet, le Père Noël a écrit les adresses
de tous les enfants de la terre et les jouets qu'ils veulent recevoir.
Vite, il fait faire demi-tour à ses rennes et il retourne chez lui.
Le Père Noël fouille partout, sur son armoire, sous son lit.
Il vide ses placards, il secoue ses chaussures,
mais il ne trouve rien. Son carnet d'adresses a disparu.

Le Père Noël regarde son traîneau chargé de cadeaux.
Il dit tristement :
– Qu'est-ce que je vais faire de tout ça ?
Une grosse larme coule le long de sa barbe.
Il soupire :
– Ce Noël va être raté, complètement raté !
Les rennes du Père Noël commencent à s'impatienter.
Ils secouent leurs clochettes. Le Père Noël caresse le grand
renne qui conduit l'attelage, et il murmure :
– Oui, oui, il est l'heure de partir, mais je ne sais plus
dans quelle maison je dois déposer les jouets !

Alors, le grand renne déclare :
– Tu as perdu ton carnet d'adresses, vieil étourdi !
Il ne reste qu'une solution :
puisque tu ne sais pas dans quelles maisons dorment les enfants,
il faut distribuer des jouets dans toutes les maisons de la terre.
Allons, accroche les autres traîneaux derrière nous
et va chercher tous les jouets qui restent dans ton grenier !
Déjà, une horloge sonne les douze coups de minuit.
Le Père Noël se met au travail : il court, il porte, il grogne.
Il remplit encore cinq traîneaux de jouets
pour être sûr d'en avoir assez.
Puis il fait claquer son fouet en l'air
et l'attelage file sous les étoiles.

Le Père Noël n'a jamais connu une nuit aussi fatigante.
Il dépose des paquets dans toutes les maisons,
même dans les maisons où il n'y a pas d'enfants.
Le lendemain matin, les grand-mères trouvent
des ours en peluche dans leurs chaussons,
les grands-pères ont des trains électriques,
les bébés ont des vélos de cross,
les papas des poupées et les mamans des hochets.

Alors les gens sortent de la maison. Certains disent :
– Regardez ! J'ai reçu ça et je n'ai rien demandé !
D'autres ronchonnent :
– Moi, j'ai un jouet de bébé, ce n'est pas ce que je voulais !
Heureusement les papas donnent leurs jouets aux enfants,
les bébés aux mamans, les mamans aux garçons,
les garçons aux grand-mères, les grand-mères aux filles
et les filles aux grands-pères. À la fin, d'échange en échange,
chacun a un cadeau qui lui plaît.
Dans les nuages, le Père Noël observe
ce qui se passe sur la terre. Il se dit en riant :
– Hé, hé, je leur ai fait une bonne surprise !
Puis il rentre chez lui. Il enfile son pyjama,
il se glisse dans son lit et, sous son oreiller,
il retrouve son carnet d'adresses.

LA MARE NOIRE

Écrit par Serge Kozlov, traduit par Alexandre Karvovski,
et illustré par Boris Diodorov

Il était une fois un lièvre qui avait peur de tout dans son bois.
Il avait peur du loup, il avait peur du renard et du hibou.
Il avait même peur du buisson de l'automne,
celui qui perdait toutes ses feuilles.
Le lièvre trotte un jour jusqu'au bord de la Mare Noire.
Il dit : – Sais-tu ce que je veux faire, Mare Noire ?
Je vais me jeter dans ton eau et je vais noyer ma peur dedans.
J'en ai assez d'avoir peur de tout.
La Mare Noire murmure : – Ne fais pas ça, lièvre !
Retourne plutôt d'où tu viens et n'aie plus peur.
Le lièvre s'étonne : – Comment ça ?
– Comme ça ! Tu es venu pour te jeter dans mon eau
où tout le monde a si peur de tomber.
De quoi pourrais-tu avoir peur maintenant ?
Va, et n'aie plus peur de rien.
Le lièvre s'en retourne, et en chemin il rencontre le loup.
Le loup se réjouit : – Oh oh, voilà mon déjeuner qui s'avance !
Mais le lièvre continue tranquillement son chemin en sifflotant.
Le loup lui crie : – Pourquoi n'as-tu pas peur de moi ?
Le lièvre répond : – Peuh ! Moi, je reviens de la Mare Noire
où tout le monde a si peur de tomber.
Comment veux-tu que j'aie peur de toi à présent ?
La réponse est si surprenante que le loup se sent tout chose.

Le lièvre rencontre alors le renard. Le renard se réjouit :
– Ah ah, voilà un civet de lièvre qui m'arrive à point !
Approche, longues oreilles, que je te mange !
Mais le lièvre passe tranquillement son chemin
sans même tourner la tête. Il dit :
– Je reviens de la Mare Noire où tout le monde a si peur de tomber
et je n'ai pas eu peur du grand loup gris.
Alors de te voir, toi, le rouquin, que veux-tu que ça me fasse ?
La nuit est tombée, à présent.
Le lièvre est grimpé sur sa souche favorite, au milieu de la clairière.
Le hibou plein d'importance vient le trouver,
avec ses bottes fourrées qui ne font pas de bruit.
Le hibou demande : – Tu te tournes les pouces ?
Le lièvre répond : – Je me tourne les pouces.
– Tu n'as pas peur de te tourner les pouces ?
– Si j'avais peur, je ne me les tournerais pas.
Le hibou reprend :
– Te voilà bien fier, lièvre ! Serais-tu devenu brave, tout d'un coup ?
Le lièvre répond :
– Tu sais, moi, je reviens de la Mare Noire. Je n'ai pas eu peur du loup,
je suis passé devant le renard sans même le regarder,
alors toi, vieil oiseau, tu me fais carrément rire !

L'automne arrive. Les feuilles tombent en averse.
Le lièvre s'est blotti sous un buisson et il se dit
en tremblant du pompon de sa queue jusqu'au bout de ses oreilles :
– Le loup gris... pas peur, le renard roux... pas peur,
le hibou aux pattes de duvet... encore moins !
Mais quand les feuilles mortes font ce bruit en tombant,
c'est fou ce que j'ai peur !
Il retourne au bord de la Mare Noire et il demande :
– Dis, Mare Noire,
pourquoi ai-je peur quand tombent les feuilles mortes ?
La Mare Noire répond :
– Ce n'est pas le bruit des feuilles, c'est le bruit du temps qui passe.
Et nous, nous l'écoutons.
Et nous avons peur, tous.
Mais voilà la neige qui tombe, tout doucement,
et les feuilles ne font plus aucun bruit.
Alors le lièvre se met à sauter, à gambader dans la neige,
parce que, tout d'un coup,
il n'a plus peur de rien ni de personne !

LE LOUP BOSSU

Écrit par Marie-Hélène Delval et illustré par Beat Brüsch

Il était une fois un vieil homme qui s'appelait Nic.
Il était laid et bossu. Les villageois se moquaient de lui.
Aussi, il vivait tout seul, dans une petite cabane.
L'hiver est venu, la neige est tombée.
Parfois, on entend les loups hurler là-bas, dans la forêt.
Le soir de la Noël, il y a un grand ciel noir plein d'étoiles
au-dessus du village tout blanc. C'est une belle nuit de Noël.
Les villageois s'en vont vers l'église en se saluant.
Soudain, quelqu'un vient sur le chemin.
C'est le vieux Nic, et il y a un loup à côté de lui !

Mais un loup affreux, les pattes tordues, l'échine de travers :
c'est un loup bossu ! Les villageois s'écrient :
– Mon Dieu, quelle horreur, ce loup !
Et vite, vite, tout le monde entre dans l'église
et on ferme les grandes portes.
Nic et le loup bossu restent tout seuls, dehors,
dans la neige et le froid. Alors, le vieux Nic dit :
– Viens, loup bossu. Tes frères loups ne veulent pas de toi.
Mais tu vois, moi non plus, les hommes ne veulent pas de moi.
Viens, nous fêterons Noël à notre façon.
Et, tout en marchant dans les rues,
il joue un air triste et gai à la fois.
Loup-Bossu le suit en bougeant ses oreilles.
Les étoiles brillent plus fort.
Et les ombres de Nic et du loup se mettent à danser sur la neige.

Pendant ce temps, dans l'église, les villageois chantent Noël.
Pourtant ils ne se sentent pas à l'aise.
Les grandes portes sont bien fermées, mais ils sentent
un courant d'air froid leur passer dans le cou.
Et quand ils arrêtent de chanter, ils entendent le violon de Nic,
qui joue un air triste et gai à la fois.
Alors ils se remettent vite à chanter en ouvrant grand la bouche.
Mais le violon de Nic reste dans leurs oreilles
et le vent froid continue de passer à travers les portes fermées.
Quand la messe de minuit est finie,
chacun court vers sa maison, vite, vite, sans se retourner.
Et on fait semblant de ne pas entendre
le violon de Nic qui joue un air triste et gai à la fois.
Chacun ferme sa porte. On chante, on réveillonne.
Mais dans leurs maisons bien closes,
les villageois ne se sentent pas à l'aise.
Le vent froid continue de passer à travers les portes fermées.
Le violon de Nic continue de jouer un air triste et gai à la fois.
Les villageois rient de plus en plus fort,
et ils se sentent de plus en plus tristes.

Pourtant, dans une des maisons, il y a une petite fille
qui ne rit pas, qui ne chante pas et qui ne mange pas.
Elle reste à la fenêtre, le nez contre la vitre,
et elle écoute le violon de Nic.
Soudain, elle dit : – Comme ce serait bien
si on pouvait danser au son de ce violon !
Aussitôt, le courant d'air froid
cesse de passer à travers la porte.
Les gens se regardent et ils disent timidement :
– C'est vrai, ce serait bien
si on pouvait danser au son de ce violon !
Alors, ils se sentent si contents qu'ils vont frapper
à la maison voisine : – Dites, ce serait bien
si on pouvait danser au son de ce violon !
Bientôt, tous les gens du village sont rassemblés sur la place.
Alors, la vieille Hilda déclare :
– On dansera dans ma grange, c'est la plus grande !
Au bout du chemin, le vieux Nic voit tous les villageois
qui s'avancent vers lui.
Il s'arrête de jouer et Loup-Bossu se met à gronder.

Mais la petite fille court vers eux en criant :
– C'est Noël ! Venez !
Il faut que nous dansions au son de ce violon !
Alors le vieux Nic joue un air si joyeux, si entraînant,
que les jeunes et les vieux, les gars et les filles,
tout le monde se prend par la main et s'en va en farandole
vers la grange de la vieille Hilda.
Nic vient derrière avec son violon,
puis Loup-Bossu, remuant ses oreilles.
Les étoiles brillent plus fort,
les ombres des villageois se mettent à danser sur la neige.
Et c'est drôle, mais depuis cette nuit-là,
on trouve que Nic et Loup-Bossu
ne sont pas si bossus que ça.

LE SECRET QUI FAIT LEVER LE JOUR

Écrit par Jean Debruynne et illustré par Monika Laïmgruber

Tous les habitants d'un petit village cherchaient dans la nuit
le secret qui fait lever le jour.
La nuit avait mis tout le village comme dans un grand sac noir.
Le Père Thouron, Huguette et Baptiste,
l'épicière et le cordonnier, le facteur et la marchande de journaux,
tous, ils étaient en train de chercher.
Ils cherchaient le secret qui fait lever le jour.
Ils cherchaient dehors. Ils cherchaient dedans.
Toute la nuit, ils ont cherché, mais ils n'ont rien trouvé…

Au petit matin, des guerriers sont arrivés.
Ils portaient l'armure des chevaliers, leurs chevaux étaient noirs.
– Bonjour ! dit le Père Thouron,
– Bonjour ! disent les guerriers.
Le chef s'avance pour parler :
– Nous vous apportons la force, la puissance et la gloire…
Vous serez les plus forts, tout le monde aura peur de vous,
vous commanderez à la mort
et vous serez les maîtres du monde…
Tous les gens du village se regardent avec les yeux brillants.
Le Père Thouron demande :
– Dites-moi, dites-moi… comment s'appelle votre secret ?
– Il s'appelle la guerre, dit le chef des guerriers.
Alors, les gens du village ont regardé derrière les guerriers.
Derrière eux, il y avait trop de blessés,
trop d'affamés
et de prisonniers.
Les gens du village disent :
– Non, messieurs les guerriers,
allez votre chemin !
Plus tard, à la fin de la matinée,
le clocher a sonné midi,
mais il faisait encore plus nuit.
Alors sont arrivés
tous les marchands,
habillés de velours et de fourrure.
Les marchands disent :
– Nous vous apportons la richesse,
vous ferez de grandes fêtes,
vous serez tous riches,
Huguette demande :
– Dites-moi, dites-moi…
comment s'appelle votre secret ?
– Il s'appelle l'argent,
dit le patron des marchands.

Alors, les gens du village ont regardé derrière les marchands.
Derrière les marchands il y avait trop de pauvres,
trop de chômeurs et de traîne-misère.
Les gens du village disent :
– Non ! Non, Messieurs les marchands, passez votre chemin.
Le soir, la neige s'est mise à tomber.
La nuit était plus noire encore.
Une carriole est arrivée dans le village.
Un homme la conduisait
et tout contre lui, une dame était endormie sous son manteau.
C'est Baptiste qui les a vus le premier :
– Bonjour, Messieurs-Dames !
La carriole s'est arrêtée, la dame s'est réveillée.
La dame dit : – Bonjour, Baptiste,
l'homme à la carriole dit : – Nous arrivons d'ailleurs.
Nous n'apportons ni la richesse, ni la puissance
ni l'argent, ni la gloire…
Baptiste demande :
– Dites-moi, dites-moi, comment s'appelle votre secret ?
– C'est un secret très fragile. C'est mon petit enfant.
Elle montre un nouveau-né qui dort tout contre elle.
Et l'homme dit aussi en le montrant :
– Voulez-vous nous prendre chez vous ?
Alors les gens du village ont regardé derrière eux.
Derrière eux, il y avait tous ceux qui ont trouvé un abri,
tous ceux qui ont trouvé des amis,
tous ceux qui ne sont plus tristes ni seuls.
Et voilà que tous les gens du village se demandent
ce qui leur arrive.
C'est comme s'ils avaient des yeux pour voir dans la nuit.
Tout le monde crie en même temps :
– Le voilà, le secret que nous cherchions !
Venez chez nous ! Entrez chez nous ! Restez avec nous !
Et dans le village il faisait grand jour.

CLARA BISTOUILLE ET LE PÈRE NOËL

Écrit par Marie-Agnès Gaudrat et illustré par Carmé Solé Vendrell

La sorcière Clara Bistouille est amoureuse du Père Noël.
Et tous les soirs depuis longtemps, elle s'endort en soupirant :
« Mais qu'il est beau ! Mais qu'il est grand !
Ah ! que je l'aime… un peu… beaucoup… passionnément !»
Alors, cette année, c'est décidé, Clara Bistouille va l'épouser.
Elle se met du rouge à ongles, du rouge à lèvres,
du rouge à joues, et puis du vert sur les paupières,
c'est de bon goût chez les sorcières. Et elle s'envole chez le Père Noël
lui annoncer la bonne nouvelle.
Mais le Père Noël rit de bon cœur :
– Enfin, Clara, ça fait des milliers d'années
que je suis célibataire,
ce n'est pas pour épouser aujourd'hui une sorcière !
Clara Bistouille se jette à ses pieds :
– Oh, Père Noël, s'il te plaît, je te bichonnerai,
je ferai tes paquets, laisse-moi essayer de te plaire.
Comme c'est bientôt Noël, le Père Noël ne veut surtout pas
qu'une seule personne pleure ce jour-là,
alors il installe une petite chaise pour Clara Bistouille
dans son atelier.
Le premier jour, Clara Bistouille est enchantée.
Elle frise quelques rubans et elle soupire régulièrement :
– Père Noël, Père Noël… un petit baiser !
Mais le Père Noël répond en riant : – Plus tard, Clara, je travaille !
Alors, au bout d'un moment,
Clara Bistouille s'ennuie terriblement.
Alors, pour se changer les idées, tac !

elle transforme un joli nounours
en monstre gluant et dégoulinant.
Mais le renne Aristide l'a vue.
Alors, tchac ! elle le fait disparaître.
Du fond de son atelier, le Père Noël dit :
– Allons, Clara, ne te laisse pas aller,
tu es venue pour nous aider,
pas pour nous faire rater Noël.
Rends-moi mon renne.
Toute gênée, Clara Bistouille
fait réapparaître Aristide.
Le lendemain, Clara Bistouille
installe sa chaise plus près
de celle du Père Noël.
Comme ça, elle peut le regarder
et puis lui demander :
– Père Noël, Père Noël… un petit
baiser !
Mais le Père Noël répond en riant : – Plus tard, Clara, je travaille.
Clara recommence à s'ennuyer.
Alors, tac ! elle transforme une poupée en crapaud,
et tac ! une autre en araignée. Mais le gnome Isidore l'a vue.
Pour qu'il se taise, elle le fait disparaître.
Du fond de son atelier, le Père Noël crie :
– Allons, Clara, ne te laisse pas aller.
Tu es venue pour me bichonner,
pas pour faire disparaître mon gnome préféré.
Toute gênée, Clara Bistouille fait réapparaître Isidore.
Le troisième jour, les rennes et les gnomes
surveillent de près Clara Bistouille.
Et au premier sort qu'elle jette, ils se mettent tous à crier :
– Père Noël, la sorcière abîme notre travail,
ce n'est plus possible, il faut qu'elle s'en aille !
Alors, bien tranquillement, le Père Noël s'en va farfouiller
dans sa malle à courrier et il dit : – Écoutez-moi ces lettres-là !

« Cher Père Noël, voilà deux ans
que je rêve d'avoir un monstre gluant et dégoulinant…»
« Cher Père Noël, j'en ai assez des poupées
à habiller et à coiffer,
j'aimerais tellement un jeu de crapauds avec des araignées !»
« Cher Père Noël, tu m'as déjà donné un déguisement de fée
et je t'en remercie, mais cette année, ce qui me fait envie,
c'est une panoplie de sorcière. »
– Vous voyez, ajoute le Père Noël, des lettres comme ça,
j'en ai des milliers. Alors, heureusement
que Clara s'est proposée si gentiment pour nous aider !
Elle a bien travaillé. En bonne sorcière,
elle nous a fait un tas de jouets que l'on n'aurait jamais su faire.
Clara Bistouille regarde ses pieds,
elle est un peu fière et très gênée. Et le Père Noël ajoute :
– Alors, pour la remercier, nous allons l'inviter à réveillonner !
Le soir du réveillon, le Père Noël demande :
– Clara, pour Noël, j'aimerais bien t'offrir un cadeau.
Choisis ce que tu veux dans tout mon atelier.
Évidemment, Clara Bistouille bredouille :
– Père Noël, Père Noël… un petit baiser.
Et elle sort de derrière son dos un cadeau qu'elle a préparé.
Elle commence à expliquer :
– Voilà, c'est pour toi,
c'est une petite liqueur qui aide à digérer…
Mais le Père Noël l'interrompt :
– Allons, Clara, n'essaie pas de m'entourlouper.
Ça ne serait pas plutôt une grosse potion… d'amour ?
Clara Bistouille est toute gênée, elle rougit de la tête aux pieds.
Alors, le Père Noël met sur un sucre
une petite goutte de potion.
Pas trop, pour ne pas se retrouver marié,
mais juste assez pour avoir envie de déposer sur la joue de Clara
un petit baiser en murmurant :
– Joyeux Noël, Clara Bistouille !

L'OURS NOIR

Écrit par Chantal de Marolles et illustré par Jean Claverie

Il était une fois un vieil homme qui avait un ours, un ours noir
au long museau et aux griffes pointues.
Ils allaient ensemble sur les places.
Le vieil homme jouait de l'accordéon
et l'ours, levant une patte puis l'autre, se mettait à danser.
Les gens riaient et criaient : – Bravo, l'ours ! Encore, l'ours !
Allez, l'ours, invite la plus belle à danser !
Puis ils jetaient des pièces dans le chapeau du vieil homme.
Alors, le vieil homme achetait des fruits et du miel,
qu'il partageait avec l'ours pour le dîner.
Ensuite ils dormaient ensemble,
à l'abri dans une grange chaude.
Mais cette nuit-là, brusquement,
l'ours rejette sa couverture de paille et il grogne :
– Assez, assez ! J'en ai assez de toi, vieil homme !
Tu ronfles, tu m'empêches de dormir,
et puis tu es vieux et tu sens mauvais,
je ne veux plus travailler pour toi, je veux être libre. Au revoir !

L'ours jette son sac sur son dos, il enjambe le vieil homme
et il s'en va. La nuit est belle, la lune éclaire le chemin.
Quel plaisir de retrouver la bonne odeur de la forêt !
Quel plaisir de rencontrer d'autres ours noirs aux griffes pointues,
de manger des myrtilles sauvages
et de ne pas danser toute la journée
avec un bruit d'accordéon dans les oreilles !

L'ours s'est construit une belle tanière dans un arbre creux ;
il la décore de pommes de pin, il y entasse des provisions pour l'hiver.
Bientôt, les feuilles tombent, le vent devient froid, l'hiver arrive.
Au fond de leurs tanières, tous les amis de l'ours s'endorment,
et l'ours noir s'ennuie. Il se dit : « Bon, je ne vais pas rester là tout seul
à regarder tomber la neige.
Je vais me promener chez les hommes, eux, ils ne dorment pas l'hiver !»
Il marche plusieurs jours et il arrive enfin à un village d'hommes.
C'est jour de marché et il y a beaucoup de monde sur la place.
Les paysans crient pour vendre leurs oies et leurs canards,
les fermières crient pour vendre le beurre et les œufs.
Cela fait beaucoup de bruit et personne n'entend le vieil homme
qui joue de l'accordéon. Mais l'ours noir, lui, l'a bien entendu ;
ses oreilles reconnaissent la chanson de l'accordéon,
et ses yeux reconnaissent le vieil homme.

59

Il est tout maigre et blanc, assis près de la fontaine gelée ;
son chapeau vide est posé devant lui.
Les gens ne l'entendent pas et ne le voient pas non plus ;
ils marchent sur son chapeau sans même s'en apercevoir.
Alors l'ours s'élance. En dix pas il est à côté du vieil homme,
et, levant une patte, puis l'autre, il se met à danser.
Les paysans et les fermières accourent, ils rient, ils battent des mains :
– Bravo, l'ours ! Encore, l'ours ! Allez, l'ours, invite la plus belle à danser !
Quand le marché est fini, le chapeau est plein de pièces d'argent
et les yeux du vieil homme sont pleins de joie.
Il dit : – Je te remercie bien, l'ours, sans toi, je serais mort de faim.
Et l'ours grogne pour rire :
– Et moi, je serais mort d'ennui. Tout le monde dort dans ma forêt.
Tu vois, l'hiver est très long, il ne faut pas le passer tout seul !

ALBERT LE PETIT DRAGON

Écrit par Rosemary Weir, traduit et adapté par Bernadette Garreta,
illustré par Volker Theinhardt

Albert le petit dragon habitait
près du village de Tony
et ils étaient très copains. Un jour,
Tony et Albert vont ramasser du bois mort
dans la forêt. Tony s'arrête pour souffler
dans ses doigts et il dit :
– Brr… tu sais, Albert, papa pense
qu'il va neiger très fort.
Albert soupire :
– Ah, quand j'étais petit, il a neigé
des jours et des jours,
je faisais des dragons de neige !
Mais dans ton village, Tony,
les gens étaient très malheureux.
La route de la ville était bloquée,
et ils n'avaient plus rien à manger.
Tony crie :
– Pourvu que ça n'arrive pas !
C'est bientôt le jour des rois,
à la ferme, on fait toujours une fête,
avec des galettes énormes
pour les invités.
Albert dit en hésitant :
– Une fête ? Et moi,
tu crois qu'on va m'inviter ?
Tony devient tout rouge et gêné.
Il sait bien que les gens du village
ne voudront jamais inviter un dragon.

Albert comprend. Il dit :
– Raconte-moi tout, comme ça je pourrai imaginer la fête.
Tony dit :
– Voilà, on décore la grange avec du houx, du lierre et du gui,
on fait de la musique, on danse, et surtout il y a un super dîner.
Albert crie :
– Ça doit être magnifique ! J'aurais tellement envie de venir !
Le lendemain, quand Tony se lève, il y a de la neige partout,
il neige encore, et tout est si blanc que l'on reconnaît à peine le paysage.
Tony descend vite dans la cuisine :
– Regarde, maman ! C'est beau, cette neige !
Sa maman dit : – Tu trouves ça beau, toi ?
Et les courses pour la fête, alors ?
La route va être bloquée, c'est sûr,
on ne pourra pas aller à la ville
acheter tout ce qu'il nous faut.
Tony court à la porte : c'est vrai,
on ne voit déjà plus la route.
Il crie : – C'est vrai, ce qu'Albert disait,
c'est déjà arrivé
quand il était petit !
La maman de Tony dit :
– Je me fiche
de ce que peut raconter
ce dragon,
ce que je sais,
c'est qu'après-demain
il n'y aura pas
de fête des rois, voilà.

Tony avale tristement son petit déjeuner,
il met ses bottes fourrées et il sort en grognant :
– Elle gâche tout, la neige.
À ce moment-là, on l'appelle :
– To-ny !
Albert le dragon arrive en glissant,
la neige gicle tout autour de lui.
Il se secoue en riant de plaisir :
– C'est drôle, la neige, tu ne trouves pas ?
Tony est prêt à pleurer :
– Ah, non alors ! Maman dit
qu'il n'y aura pas de fête
parce que la route est bloquée.
Albert le regarde : – Je sais, tu es déçu.
Oh Tony, si je pouvais t'aider !
Tout d'un coup, Tony a une idée :
– Albert, tu veux bien te mettre en colère ?
Albert est surpris :
– Moi ? Pour quoi faire ?
Tony dit :
– Je t'en prie, écoute, si tu te mets en colère,
tu cracheras des flammes énormes,
tu feras fondre la neige de la route
et alors, on pourra faire la fête.
Albert est plein d'admiration :
– Bravo ! Tony, tu es simplement génial !
Vas-y, dis-moi des choses méchantes.
Tony crie :
– Idiot ! Tricheur ! Peureux !
Albert commence à rougir un peu, mais il dit :
– Trouve mieux que ça, voyons.
Tony continue : – Dragon à la noix !
Albert devient tout rouge,
de la fumée sort par ses narines.

Tony hurle :
– Marmite percée, passoire bouchée !
Alors, Albert crache d'énormes flammes,
il court, furieux, jusqu'à la ville,
et la neige fond devant lui.
Tony appelle : – Papa ! Maman ! venez voir !
Albert a nettoyé toute la route,
on va pouvoir préparer la fête.
Dans le village, tout le monde est sorti
pour voir le dragon chasse-neige,
et les gens crient : – Bravo, Albert !
Quand Albert a terminé, il est tout calme,
tout frais et très heureux
parce que tout le monde le félicite.
À la porte de la ferme,
Tony et ses parents l'attendent aussi.
Tony dit tout de suite :
– Tu sais, Albert, les choses méchantes,
c'était pour rire.
Ses parents disent ensemble :
– Albert, veux-tu venir à la fête ?
Albert est si content d'être invité
qu'il ne peut plus parler,
il hoche seulement la tête pour dire oui.
Pour la fête, il y a un super dîner,
de la musique et des danses.
Albert se régale d'oranges et de gâteaux
et c'est la meilleure soirée de sa vie !

LA VILLE DANS LA NUIT

Écrit par Marie-Hélène Delval et illustré par Yves Calarnou

Il était une fois une ville où régnait la nuit.
Il y avait des nuits de pleine lune et des nuits remplies d'étoiles.
Et quand la nuit était trop noire, on allumait des lampes.
Mais c'était toujours la nuit.
Et puis voilà qu'un voyageur arrive.
Il raconte qu'il vient de loin et qu'ailleurs il y a des villes
où après les heures de nuit viennent des heures de jour.
Il raconte que le jour est si clair
qu'on n'a même pas besoin de lampes.
Les gens emmènent aussitôt le voyageur chez le maire.
Ils veulent tous que l'on fasse venir le jour dans leur ville.
Le maire se met à bougonner :
– Le jour, le jour ! Et où voulez-vous que j'aille le chercher,
moi, le jour ? Et puis d'abord, combien ça coûte ?
Le voyageur répond : – Mais, le jour ne s'achète pas, il vient !
Le maire dit :
– Ah ? Et pourquoi donc n'est-il jamais venu chez nous ?
Le voyageur répond :
– Comment le jour viendrait-il si personne ne l'attend ?
Le maire et tous les habitants en restent la bouche ouverte.
Ils n'avaient jamais pensé à ça !

Puis le maire dit : – Attendre, attendre !
Mais… comment fait-on pour attendre le jour ?
Alors une petite jeune fille blonde s'écrie en rougissant :
– Moi, je sais ! Quand j'attends une lettre de mon amoureux,
je cours à la boîte aux lettres dix fois, vingt fois,
jusqu'à ce qu'elle arrive.
C'est sûrement comme ça qu'il faut attendre le jour,
comme une lettre d'amour !
Le poète lève son doigt taché d'encre et il dit :
– Moi, je sais ! Quand j'attends un vers, une rime,
je m'assieds, je ferme les yeux et j'écoute dans ma tête.
C'est sûrement comme ça qu'il faut attendre le jour,
comme un poème !
Et puis la boulangère secoue son tablier plein de farine
et elle dit : – Moi, je sais !
Quand mes pains sont au four et que j'attends qu'ils cuisent,
je fronce le nez jusqu'à ce que je sente
la bonne odeur du pain doré.
C'est sûrement comme ça qu'il faut attendre le jour,
comme du bon pain !
Et tous, le jardinier et le maçon, la couturière, le pêcheur
et l'épicier, le peintre et la maîtresse d'école,
tous s'aperçoivent qu'ils savent comment attendre le jour.
Mais le maire bougonne encore :
– C'est bien joli, tout ça,
mais ça prendra combien de temps d'attendre ?
Alors les gens s'écrient : – On va commencer tout de suite !

Et la jeune fille blonde se met à courir dix fois, vingt fois,
jusqu'aux portes de la ville pour voir si le jour arrive.
Et le poète reste les yeux fermés, à écouter dans sa tête
si le jour arrive. Et la boulangère fronce son nez pour sentir
si le jour arrive. Et tous, le jardinier et le maçon, la couturière,
le pêcheur et l'épicier, le peintre et la maîtresse d'école,
tous commencent à attendre le jour.

Et bientôt, là-bas, au bord des toits,
une minuscule ligne rose se met à grandir, grandir,
et brusquement, un éblouissant rayon d'or
saute par-dessus les toits et il éclabousse la ville de lumière.
Tout le monde crie en même temps : – Aaaaaah !
C'est comme un feu d'artifice.
Mais c'est encore plus beau que le feu d'artifice.
C'est le jour qui est venu ! Alors, pendant tout le jour,
la ville entière est en fête. Et puis, quand la nuit revient,
le maire se racle la gorge et il dit :
– Bon, eh bien voilà, demain, vous élirez un autre maire.
Il faut que désormais sur notre ville
le jour revienne sans cesse après la nuit.
Alors moi, maintenant, je serai veilleur de nuit
et je passerai mes nuits à attendre le jour.
Et depuis ce temps-là, sur la ville il y a des jours et des nuits.
Parfois, le soir, la boulangère, le maçon, la couturière
ou le jardinier vont faire un petit tour dans le noir.
Et quand ils rencontrent le veilleur qui marche dans les rues
avec sa lanterne, ils lui disent :
– Eh bien, veilleur, quelle nuit noire !
On dirait qu'elle ne finira pas.
Et le veilleur répond avec un petit sourire :
– Oh, elle finira, mes amis, elle finira !
Allez dormir. Le jour vient, je l'attends.

LES SABOTS DE SABINE

Écrit par Bernadette Garreta et illustré par Colette Camil

Le sabotier Jobic habite tout seul, dans une chaumière.
Au-dessus de l'établi, Jobic a posé plusieurs paires de sabots :
des petits, des moyens, des grands, tous beaux et solides.
Ils sont pour Corentin, Yvon, Marie,
pour les deux garçons de Louison,
qui viendront chercher, tout à l'heure,
leurs beaux sabots neufs de Noël,
avant d'aller à la messe de minuit, tous ensemble, au village.
Il fait très froid, le vent souffle :
mais un bon feu brûle dans la cheminée.
Jobic termine des sabots pour Pierre le menuisier.
Clic, clac, pptt… Jobic fait voler les copeaux de bois. Il creuse,
il forme, il lisse et il chante de tout son cœur.

Mais quel étourdi ! Pierre n'entrera jamais ses grands pieds
dans ces sabots-là, si petits, si fins.
Ils iraient plutôt à une fée ou à une petite fille,
mais Jobic n'en connaît pas !
Alors, il range les jolis petits sabots et il dit en riant :
– Allons, à l'ouvrage, sinon Pierre n'aura pas ses sabots !
Clic, clac, pptt… La bille de bois prend forme
dans les mains habiles de Jobic.
Toc, toc… On frappe à la porte. Ce sont les gens du hameau,
bien enveloppés dans leurs mantes.
– Entrez, entrez, crie Jobic. Vos sabots neufs sont prêts.
Mettez un fagot au feu et réchauffez-vous bien. J'ai presque fini
les sabots de Pierre, mais regardez ce que j'ai fait : on dirait
des sabots de poupée ! C'est trop petit pour toi, hein, Pierre ?
À ce moment-là, Janick dit :
– Écoutez, je crois qu'on pleure dehors.
Jobic a juste terminé son sabot, il se précipite à la porte.
Là, dans la boue et le froid, il y a une toute petite fille, pieds
nus, mal habillée, gelée.

Vite, Jobic la prend dans ses bras et il la porte
devant le bon feu. Marie l'enveloppe dans une mante,
Joël fait chauffer un peu de lait.
Yvon dit : – C'est Sabine, la petite du moulin.
Elle n'a plus ses parents et personne ne peut plus la garder.
Sabine se réchauffe tout doucement :
elle boit un bon bol de lait, elle ne pleure plus maintenant.
Alors Jobic prend sur l'étagère les deux jolis petits sabots
et il les met aux pieds de Sabine.
Les sabots lui vont parfaitement !
Sabine saute au cou de Jobic en lui demandant tout bas :
– Est-ce que je peux rester avec toi ?
Et voilà comment, un soir de Noël,
deux petits sabots ont trouvé un emploi,
une petite fille a trouvé une maison,
et un bon sabotier a trouvé le bonheur.

LE PRINCE

Écrit par Jean Debruynne et illustré par Colette Camil

Tout le village l'appelle le Prince.
Il est le plus grand, il est le plus fort.
Tout le monde parle du Prince dans le village.
Les papas qui boivent de la bière,
les mamans qui attendent devant l'école,
les enfants qui tirent leur luge.
Tout le monde parle du Prince.
Ce n'est pas un Prince avec une couronne.
Il est le Prince, parce qu'il est le plus fort.

Devant tout le monde, il montre ses bras, sa force
et il rit très fort. Mais quand le Prince est tout seul, il pleure.
Il est triste, parce que ses poings sont fermés. Il ne peut jamais
ouvrir ses poings qui restent fermés comme des cailloux.

Avec ses poings toujours fermés,
Le Prince ne peut pas donner la main,
il ne peut pas faire de la peinture ni offrir un cadeau.
Avec ses deux poings fermés, il tape, il frappe,
il cogne sur les portes, sur les murs, sur les volets
comme les grands coups de vent.

Cette nuit-là, quelqu'un arrive en courant, tout essoufflé.
– Venez ! venez ! Venez tous ! Venez vite !
Je vous annonce une bonne nouvelle !
Le Prince de la Paix vient d'arriver !…
Cette nuit-là, le Prince lui aussi a appris la nouvelle :
– Comment ? dit le Prince. Le Prince, ici, c'est moi !
Et le voilà qui se sauve avec ses poings fermés.

Tout le village s'est levé, tout le village est sorti,
tout le village se met en marche.
Là-bas, une petite maison est allumée sous la neige.
C'est une petite maison de rien du tout.
Un petit enfant est là. Chut ! c'est un tout nouveau-né.
Il dort. Il est petit, si petit.
– C'est le Prince de la Paix !…
Tout le village applaudit, rit et chante.
En roulant ses grosses épaules, le Prince arrive lui aussi.
Il tient en avant ses deux poings fermés.
Il s'en sert pour se faire un passage.
Tout le monde s'écarte devant lui,
et il n'y a plus personne entre lui et le petit enfant.
Le Prince est encore plus grand et l'enfant est encore plus petit.

– Un Prince de la Paix,
ce petit bout de bébé !
Allons donc !
Il est bien trop petit !
Un Prince, c'est grand et fort.
Ici, c'est moi le plus grand
et le plus fort.
Et en même temps,
le Prince se rappelle
ses deux poings fermés.
Et il est tout triste
à l'intérieur de lui.

L'enfant le voit, l'enfant sourit,
l'enfant ouvre ses petites mains.
Et voilà que d'un seul coup
les poings fermés du Prince
se desserrent.
Ils s'ouvrent comme des fleurs.
Voilà le Prince
avec ses deux mains
grandes ouvertes,
deux mains toutes neuves.
Deux mains ouvertes pour donner la main.
Deux belles mains pour partager les cadeaux,
pour ouvrir la porte et ouvrir les volets,
pour peindre la couleur et pour faire des gâteaux…
Deux mains pour aimer.

Alors le Prince pleure, mais c'est parce qu'il est heureux,
et il se met à chanter :
– C'est vrai, c'est toi le Prince. Toi, le petit enfant,
et c'est toi qui m'as rendu heureux.
Et il se met à danser avec ses mains toutes neuves, avec son
cœur tout neuf.

LA FLEUR DE NEIGE

Écrit par Serge Kozlov, traduit par Alexandre Karvovski
et illustré par Mireille Levert

Le chien aboie : « Ouah, ouah, ouah ! »
Il neige. Tout est recouvert de duvet blanc.
Ça sent la neige, le sapin de Noël et la mandarine.
Le chien aboie : « Ouah, ouah, ouah ! »
Hérisson se dit : « Il m'a senti ! »
Et, prudemment, il décide d'éviter la cour du forestier.
Ce n'est pas drôle de marcher tout seul dans le bois.
Alors Hérisson pense à ce qu'il fera tout à l'heure, à minuit,
quand il retrouvera Anon et Ourson dans la grande clairière,
pour fêter la nouvelle année.
Hérisson se dit : « Nous ferons une ronde avec les lièvres.
Et si le loup vient nous embêter,
moi, je le pique avec mes piquants,
Ourson lui donne un coup de patte
et Anon un coup de sabot ! »
Et la neige n'arrête pas de tomber.
Elle couvre le bois d'un manteau si épais, si moelleux, si doux,
que Hérisson a envie de faire quelque chose de pas ordinaire :
grimper jusqu'au ciel, par exemple, et rapporter une étoile !

Hérisson se voit très bien arrivant dans la clairière avec son étoile.

Il l'offrirait à Anon et à Ourson : « Prenez-la, je vous en prie ! »

Mais Ourson ferait non avec ses pattes :

« Non, non, penses-tu, je ne peux pas, tu n'en as qu'une ! »

Et Anon ferait non avec sa tête :

« Non, non, penses-tu, garde-la, tu n'en as pas d'autre ! »

Mais Hérisson leur donnerait l'étoile.

Hérisson est tellement heureux à la pensée de la jolie fête !

Il se dit : – Si je savais où pousse une fleur qui s'appellerait

« Qu'on-est-bien-tous-la nuit-du-Nouvel-An »,

j'irais la cueillir et je la planterais au milieu de la clairière.

Et les lièvres, et Anon et Ourson, tous sentiraient

comme on est bien ensemble la nuit du Nouvel An !

À ce moment, comme s'il avait entendu,

le vieux sapin couvert de neige ôte son bonnet et il dit :

– Je sais où pousse cette fleur, Hérisson.

Tu comptes cent pins, tu descends dans le Ravin-Boiteux,

et tu trouves la Source-qui-ne-gèle-pas.

C'est là que pousse ta fleur, tout au fond de l'eau.

Hérisson demande : – Tu es sûr que ce n'est pas en rêve

que je t'entends parler, sapin ?

– Non, non, répond le sapin en recoiffant son bonnet.

Alors Hérisson compte cent pins, il descend
dans le Ravin-Boiteux, il trouve la Source-qui-ne-gèle-pas.
Il se penche et il pousse un cri. La fleur de neige est là, dans l'eau.
Hérisson tend la patte, mais sa patte est trop courte.
Alors il décide : – Bon, je saute dans l'eau,
je plonge jusqu'au fond et je cueille la fleur
en faisant bien attention de ne pas la blesser.
Il plonge jusqu'au fond, il ouvre les yeux dans l'eau,
mais il n'y a pas de fleur. Hérisson remonte à la surface.
Là-bas, tout au fond, la fleur merveilleuse bouge doucement.
– Enfin quoi ! s'écrie Hérisson.
Il saute à nouveau dans l'eau, mais il ne trouve pas la fleur.
Hérisson plonge sept fois dans la Source-qui-ne-gèle-pas !
Finalement, il repart en courant, tout transi.
Il pleurniche tout en courant :
– Mais enfin ?… Mais enfin ?…
Car il ne sait pas que la fleur,
tout au fond de la source,
c'était lui-même, Hérisson,
transformé par le gel
en cristal de neige tout blanc !
C'était son image que lui renvoyait
le miroir de l'eau !
Soudain,
Hérisson entend de la musique.
Il aperçoit Anon et Ourson
et les lièvres qui dansent une ronde.
Et Anon s'écrie :
– Oh ! Regardez l'étonnante fleur de neige qui arrive !
Quel dommage que Hérisson ne soit pas là !
Alors Hérisson crie : – Mais c'est moi !
Et Anon, et Ourson et les lièvres viennent danser la ronde
autour de Hérisson. Tout le monde l'admire et chante :
– Ah, comme on s'amuse et comme on est bien, tous,
la nuit du Nouvel An !

LA LÉGENDE DE SAINT NICOLAS

D'après la légende de Saint Nicolas,
adaptée par Bernadette Garreta et illustré par Colette Camil

C'était il y a bien longtemps. Ils étaient trois petits enfants.
Ils avaient ramassé toute la journée les épis de blés oubliés
dans un champ déjà moissonné.
Les trois enfants ont tant glané qu'ils repartent tout courbés
sous le poids de grosses belles gerbes de blé.
Leur chaumière est encore bien loin, et la nuit est déjà
tombée. Bientôt, sous les grands arbres, il fait si sombre
qu'on n'y voit rien, tous les sentiers se ressemblent.
Comment retrouver le chemin ?
Les enfants sont fatigués, ils ont faim, ils ont soif.
Le plus petit se met à pleurer : – On est perdus, on est perdus !
Et moi, je ne veux plus marcher.
Le plus grand s'est arrêté :
– Regardez, là-bas, je vois une lumière briller.
C'est la maison du boucher, il pourra peut-être nous abriter.
Les trois enfants s'en vont frapper à la grosse porte de bois :
– S'il vous plaît, Monsieur le boucher,
ce soir, pouvez-vous nous loger ?
Nous sommes trois petits enfants
perdus en revenant des champs.

Le boucher ouvre grand sa porte :
– Entrez, entrez, petits enfants, j'ai de la place, justement.
Dès que les enfants sont entrés,
le boucher les coupe en morceaux.
Puis il les met dans le saloir, comme du petit salé.
Sept ans plus tard, un soir d'orage, Saint Nicolas vient à passer,
en tirant son âne par la bride.
Saint Nicolas va frapper droit à la maison du boucher :
– Mon ami, peux-tu me loger ?
Le boucher ouvre grand sa porte, il reconnaît son visiteur :
– Entrez, entrez, Saint Nicolas, j'ai de la place,
je n'en manque pas.
Saint Nicolas va s'installer près du feu de la cheminée
et puis, il demande à dîner.
Le boucher dit :
– Saint Nicolas, j'ai de la viande, je n'en manque pas.
Voulez-vous du bœuf en ragoût, du pot-au-feu, des côtelettes ?

Mais Saint Nicolas lui répond :
– Je ne veux rien de tout ça, donne-moi du petit salé,
celui qui est dans ton saloir
depuis au moins sept ans, je crois.
Quand le boucher entend cela, il s'enfuit en hurlant de peur
dans l'orage et dans la nuit.
Alors, Saint Nicolas se lève, il s'approche du saloir,
il pose la main sur le couvercle en disant doucement :
– N'ayez pas peur, petits enfants,
je suis le grand Saint Nicolas. Vous pouvez donc sortir de là !
Le couvercle du saloir se soulève,
le premier enfant sort gaiement et il dit :
– Moi, j'ai bien dormi.
Le second enfant se lève, il bâille :
– Ah, moi aussi !
Le troisième, le plus petit,
se réveille alors en riant :
– J'ai passé une bonne nuit,
je me croyais au paradis !

LE LOUP AUX YEUX JAUNES

Écrit par Chantal de Marolles et illustré par Yasuyuki Hamamoto

Le petit Nil n'a plus de parents. Il habite dans une roulotte
avec son oncle Triste et sa tante Misère qui ne l'aiment pas.
Tous les soirs, oncle Triste monte le chapiteau
et tante Misère astique sa boule de cristal où elle lit l'avenir.
Les gens viennent trouver tante Misère
pour savoir ce qui va leur arriver.
Tante Misère regarde dans la boule.
Et les gens qui sont venus pleins d'espoir
repartent souvent en pleurant,
parce que tante Misère ne voit que les choses tristes
dans sa boule de cristal.
Nil nettoie les cages des animaux.
Il y a quatre singes qui lui tirent les cheveux,
trois chevaux qui essaient de le mordre,
deux lamas qui lui crachent à la figure
et un lion qui rugit comme s'il voulait le dévorer.

Pourtant ces animaux-là
sont bien nourris,
parce qu'ils travaillent pour le cirque.
Ils dansent, ils font des pirouettes ou
ils sautent dans des anneaux.
Seul le loup aux yeux jaunes
n'est pas bien nourri,
parce qu'il ne sait rien faire.
Il est maigre et tout hérissé.
Souvent, en cachette, Nil lui donne
la moitié de son repas.

Aussi, quand le loup regarde Nil, il ne montre jamais les dents.
Et ses yeux jaunes deviennent dorés quand Nil lui gratte la tête
à travers les barreaux de sa cage. Un soir, comme chaque soir
après le spectacle, tante Misère compte son argent.
Oncle Triste enferme les animaux.
Puis ils s'en vont dîner avec les trapézistes en disant à Nil :
– Tu mangeras les restes. Nettoie la roulotte en attendant.
Alors Nil secoue les châles et les tapis, il essuie les meubles
et il commence à balayer. Et comme chaque soir, Nil pense :
« J'en ai assez de mon oncle Triste et de ma tante Misère.
Un jour, j'ouvrirai la cage du loup aux yeux jaunes
et je casserai cette boule de cristal
où on ne voit que du malheur ! »
Soudain, le balai de Nil heurte la table, la boule de cristal
se met à rouler, elle tombe et elle se brise.
Nil est épouvanté. Mais voilà que
de la neige sort de la boule brisée.
Nil la pousse dehors avec son balai.
Mais la neige tourbillonne,
elle recouvre les châles, les tapis,
elle recouvre la roulotte, les arbres
et le chapiteau du cirque.
Et soudain, devant la roulotte,
Nil voit le loup aux yeux jaunes.

Comment est-il sorti de sa cage ?
Le loup dit :
– Monte sur mon dos, Nil. Il est temps que je t'emmène loin d'ici.
Nil bondit sur le dos du loup qui se met à galoper
en faisant voler la neige derrière lui.
Ils traversent des campagnes désertes,
des villages endormis, ils croisent des trains silencieux
et ils arrivent enfin dans une forêt profonde
où des sapins blancs brillent sous la lune.
Le loup ralentit sa course et il dit : – Nous sommes arrivés.
Il s'arrête devant une petite maison aux fenêtres éclairées.
Le loup dit encore :
– Grimpe sur mon dos et dis-moi ce que tu vois.
Nil répond : – Je vois un homme grand et une femme petite.
Ils ne mangent pas la soupe qui est dans leur assiette,
ils ne boivent pas le vin qui est dans leur verre.
Le loup dit : – C'est là, entrons.
En les voyant, la femme dit :
– Mon Dieu, voilà l'enfant qu'on attend depuis sept ans !
L'homme dit :
– Entrez ! Entre, toi aussi, loup aux yeux jaunes.
Vous devez être fatigués, mangez et buvez.
Il y a si longtemps que nous attendons un enfant !
Et la femme dit :
– Mais nous allons rattraper le temps perdu.
Et puisque nous voilà quatre,
nous serons quatre fois plus heureux à présent !

TABLE DES MATIÈRES